劉福春・李怡 主編

民國文學珍稀文獻集成

第一輯

新詩舊集影印叢編　第32冊

【張近芬（CF 女士）卷】

浪花

上海：北新書局 1927 年 7 月版

張近芬（CF 女士）　著譯

花木蘭文化出版社

國家圖書館出版品預行編目資料

浪花／張近芬(CF 女士) 著譯－－初版－－新北市：花木蘭文化出版社，
2016〔民 105〕
240 面；19×26 公分
（民國文學珍稀文獻集成・第一輯・新詩舊集影印叢編 第 32 冊）
ISBN：978-986-404-622-5（套書精裝）
831.8 105002931

ISBN-978-986-404-622-5

9 789864 046225

民國文學珍稀文獻集成・第一輯・新詩舊集影印叢編（1-50 冊）
第 32 冊

浪花

著　者　張近芬（CF 女士）
主　編　劉福春、李怡
企　劃　首都師範大學中國詩歌研究中心
北京師範大學民國歷史文化與文學研究中心
（臺灣）政治大學民國歷史文化與文學研究中心
總 編 輯　杜潔祥
副總編輯　楊嘉樂
編　輯　許郁翎
出　版　花木蘭文化出版社
社　長　高小娟
聯絡地址　235 新北市中和區中安街七二號十三樓
電話：02-2923-1455／傳眞：02-2923-1452
網　址　http://www.huamulan.tw 信箱 hml 810518@gmail.com
印　刷　普羅文化出版廣告事業
初　版　2016 年 4 月
定　價　第一輯 1-50 冊（精裝）新台幣 120,000 元

浪花

張近芬(CF 女士) 著譯

陽光社一九二三年五月初版；一九二四年五月再版，由北京大學新潮社發行；北新書局(上海)一九二七年七月三版，原書三十二開。

花浪

CF女士

北新書局
1927

浪花

浪花目錄

第一輯

第二輯（上）

第二輯(下)

第三輯

附錄

再版自序

這些散漫的文字，是最幼稚，最弱小不過的靈感的表象；去年五月，已不揣譾陋的出現過了。不到六個月，本社來信，謂有再版的必要。終以人事太忙，此時才得偷些空來，把本集略加修改，再行付印；那是要請閱者諸君原諒的！

近年來文藝界可算十分發達，而尤其以詩集爲最風行。浪花這渺小的東西，不過是課餘漫寫的陳跡；若說要挨到文藝界中出一點風頭，那是不敢！

我並不是詩人，更不是文學家；不過是一個還在學生時代的學生。請閱者諸君要用另外一副眼光看待！

但是有一句話，要望諸位明白：創作方面——第二輯——的主意，和思想，那當然本着自己的「心絃之微音」，任意紓寫。譯述方面——第一第三兩輯——當然要保存作者的優美的思想，伊不敢妄用主觀的見解，輕於辭意的斟酌。

—— 2 ——

人的思想無止境，文藝的進步當然也無止境。昨以爲是者，今或以爲非；今以爲是者，明日或更以爲非。是故本書再版，除大體不能十分更動外，不得不微有增删。那也要希望閱者知道的！

一三，七，三一。F. C. 識

— 3 —

短歌

一

在梅花上
積壓的雪，
我想掬了些
送給你看，

但伊在我的手中融化了。

二

梅花
已經萎謝了，
然而白的雪
還深深的
在園中堆積着。

三

——2——

山中
雪猶未消——
而在流水所經處
生長的楊柳，
已透出嫩芽來了。

四

我每朝瞧見的
楊柳啊，

轉瞬已披上濃密的大衣了，
在那裏夜鷹
可以止息而且歌唱了。

五

我願意指給
我的愛人看
那未被春風
吹亂了的

綠柳的細條。

六

櫻花的時期
還沒有過去，
但已紛紛凋落了；
而愛看櫻花的人們，
熱度正達高點啊。

七

春天的雨啊！
輕輕的落下，
不要在我
看見櫻花之前，
將他們打落了。

八

當我走近
霧露蒙住了的

沼澤的時候，
聽聞夜鷹的歌唱，
春似乎已經到了。

九

我的日子在期待中過去，
我的心像
春天來了，
霜在水草上

一樣的融化了。

十

在渴望情愛之中
我忍耐到晚間。
但明天有霧的
長的春天
我將怎樣度過呢？

十一

— 8 —

我的愛是像
春草一般的濃密，
像大洋的岸上
堆起的波浪
一樣的重疊。

十二

鷓鴣啊！
我將不再爲你種下

高大的樹了。
你來了高聲的叫喚，
足以增加我con念啊！

十三

天初曉時，
鷓鴣的叫喚
我聽聞了。
生啊！你聽得嗎？

還是你依然睡着?。

十四

天是黎明了,
我因爲想念意中人,
不能睡着
惱人的鷓鴣不住的呌喚,
將怎樣處置他呢?

十五

我的生命，
我將用什麼來比死？
他是像一條船，
在早晨划開了，
不留下一些兒痕跡。

十六

我願意到
沒有鷗鴞的地方去，

因爲當我聽聞了
他的聲音，
我是非常的憂鬱啊。

十七

愛情的苦惱
躲開世界，
正像一種姬百合
生長在夏原的

叢草中間啊！

十八

就算我
是很懊恨你的，
但是那開花的橘樹，
生長在我的屋旁的，
你當眞不來看了嗎？

十九

我種在屋角
紀念
我的情人的
紫藤，
後來是開花了。

二十

去，鵓鴣，
告我的丈夫說，

我怎樣的愛他：
他是太忙了·
不能來看我啊。

二十一

我未曾穿著
經過夏天的草地時
被露水浸濕了的衣服；
然而我的大褂的袖子，

是從未有一刻乾過啊。

二十二

現在是六月了，
被火般的陽光照着，
所以地也裂開了；
然而假使我不能遇見你，
我的衣袖怎麼會乾呢？

二十三

在春之沼澤上
我走去
採集紫羅蘭；
他的魔力這樣的吸引我，
使我停留到早上啊。

二十四

天是一個海
會發生層疊的波浪；

月是一條船，
他划到
羣星的林子裏去。

二十五

伊勢海上的
白的浪花，
我將採集了
當作禮物，

送給我的情人！

二十六

只要是你的手
放在我的手裏，
總然別人的話
像夏場上的草一般的叢起，
有什麼要緊呢！

——選譯日本「萬葉集」——

短歌

一

我不曾有
像電光閃過
穀穗的
那一刹那間

忘却了你呵！

二

我却忘你
除非在睡覺的時候，
但我却在夢中會見你！
假使我知道會你是在夢中，
我就不願醒了！

三

人們不知道
我的心呵，
在我的故鄉
花卉固有的香氣
是異常芳郁的呵。

四

我來了尋不見你：
我的衣袖是

比秋天早晨
經過竹林時
沾得更濕了！

五

這一晚，
當我等他不來的時候，
使我感到這樣凄凉的是什麼？
莫非是凜冽的秋風吹着嗎？

六

我願你的心
融化在我的心裏，
適如春天來了
冰融解了
沒有一些剩餘。

七

數年來

我愛情之火沒有熄滅過，
然而我的爲淚所浸濕而冰凍的袖子
依然未曾融解呵。

八

只有我
是最孤單的，
因爲牛郎
尚且一年一度的

會見他的情人（織女）啊！

——選譯日本「今古集」——

沙萊在我們的巷裏

英國卞萊著

在許多那樣娟媚的女子中
沒有一個比得上美麗的沙萊的，
伊是我心愛的人兒，
並且住在我們的巷裏。

地球上沒有一個婦人，
有沙萊一半溫潤的；
伊是我心愛的人兒，
並且住在我們的巷裏。

伊的父親是編菜籃的
在街上往來叫賣：
伊的母親終年販賣花邊

給那些愛買的人們；
但是的確別的人永不能產出
這般溫潤的姑娘像沙萊樣的！
伊是我心愛的人兒，
並且住在我們的巷裏。
伊走近我時，我便放下我的工做，
我愛伊的誠摯：

我的主人走來像無論那個土耳其人一樣，
　嚴聲厲色地來扑撻我——
但是讓他扑責他的，
　我為沙萊願忍受一切：
伊是我心愛的人兒，
　並且住在我們的巷裏。
在一星期內，

我熱烈地愛着的只有一天——
那天是介於這兩天的中間：
星期六和星期一；
於是我穿起我最闊綽的衣服來
同着沙萊在戶外散步。
伊是我心愛的人兒，
並且住在我們的巷裏。

我的主人把我帶到禮拜堂裏，
我是常被呵責的，
因爲我偸偸地離了他
當聖經剛剛讀起；
我離開教堂正當祈禱的時光，
悄悄的溜到沙萊那裏：
伊是我愛心的人兒，
並且住在我們的巷裏。

在聖誕節又將來到的時光，
呵，於是我將有錢了；
我要把他積起統統放在箱子裏，
我要把他送給我的情人，
我願他能有一萬磅，
全數贈給我的沙萊，
伊是我心愛的人兒，
並且住在我們的巷裏。

—— 34 ——

我的主人同這些鄰人，
　玩笑我同沙萊，
但是爲伊的緣故我甯願做
　一苦工並且駛着一條帆船．
但是我的七年之久過去了，
　呵，於是我要娶沙萊了——

啊，於是我們要結婚和同床了
但却不在我們的巷裏了！

愛之哲學

雪萊著

泉水與大河交匯，
大河滾入洋海；
空中的風永遠
和甜密的情緒相感；

宇宙間無一物孤單；
萬物都遵守一條神聖的公律
即相互的融合：——
爲何我與你獨不？

看呵！羣山吻那高空，
波浪相互抱擁；
姊妹花不會被寬恕，

倘若她曾藐視兄弟。

陽光懷抱大地，
　月光吻那蒼海，
假如你不吻我，
那些親吻值得甚麼？

印度之夜歌

英國 Coleridge 著

從外形上看來，
伊不比那些精靈似的女人們更美麗些，
直到伊向我微笑了，
我還沒有看出伊的可愛。

哦！我看見伊的非常明晶的眼睛了，
是一座愛的井，是一線春的光呵。
但伊現在是含羞了冷淡了，
好像不願理會我了，
但我却仍然不斷的注視
那含在伊眼裏的可愛的光，
伊那可愛的含愁的顰蹙，
比那精靈似的女人們的笑靨更婥美了。

鳥兒

英國 Blake 著

他

你在那裏棲息，在那個林子裏？
告訴我，好人，告訴我，愛呀；
你的可愛的巢兒建築在那裏，

田野的新娘呀！

伊

那邊生長着一棵孤單的樹兒：
我活着爲你而悲歎；
晨光飲我的酸淚，
夕風拂拭我的愁苦。

他

你的夏的友侶呵，

我也活着爲你而悲歎，
每天我在林子裏哀號，
夜聽聞我的憂鬱的泣聲。

伊

你眞的慕戀我？
我對於你是這樣的甜密？
憂愁現在是到盡頭了，
我的情人，我的愛友呵！

他

來！駕起歡樂的翅兒，
我們飛到我的高高掛着的亭園裏，
來，你可安靜地休息，
在芬芳的綠葉和花叢裏。

假使我有兩隻翅膀

英國沙鋭著

假使我有兩隻翅膀
又是羽毛豐滿的小鳥，
我就要飛到你懷裏，我的親愛的！
但是像這樣想是太懶惰了，

我依然是停留在這裏。
可是在我的夢寐中我嘗飛到你那裏；
在我的夢寐中我常陪伴着你！
這個宇宙是我個人所獨有的。
但當醒轉時，我是在那裏？
一個人孤單單地。
夢寐不會停留，縱然有君主的命令，

所以我喜歡在天明之前就醒。
因爲我的夢寐雖是去了，
趁着天色黯黑時閉上眼睛，
夢境依然進行了，

詩人之歌

Tennyson 著

雨止了，詩人與起了，
他經過城市，走出街頭；
一陣輕風從太陽的光芒裏吹來，
麥田盡成波影，

他坐在一處靜寂的場所，
高唱甜密的歌曲，
竟使天鷚駐足，
鴻鵠斂翼於雲霧之間。
燕子停着不捕捉蜂兒了，
小蛇溜入浪花之下了，
野鷹放下黏着絨毛的喙，

爪兒把住了獵獲物凝視着，
那個夜鷹思量；「我曾唱了許多歌曲，
但是沒有一個這般暢快的，
因爲他所唱的是當這年華過去了，
世界將變成怎般模樣！」

溫柔地吻我

溫柔地吻我，低聲地語我——
怨恨永遠有一隻精細的耳朵。
亦許他是在左近藏躲？
　吻我，親愛的！
溫柔地吻我，低聲地語我。

溫柔地吻我，低聲地語我——

妒忌也有一隻縝密的耳朵，

亦許他會有機會聽得？

吻我，親愛的！

溫柔地吻我，低聲地語我。

溫柔地吻我，低聲地語我——

信任我，心肝，情人可以
無所畏懼而愛的時機快到了。
吻我，親愛的！
溫柔地吻我，低聲地語我。

王爾德詩三首

清晨的印象

泰晤士的澄黄和蔚藍的夜景
在灰色中變成渾然一體了；
一隻載着赭色乾草的大艇，
從碼頭上隨下去。

寒冷而淡黃的迷霧從那橋上爬下，
直到房屋的牆壁像是變成了黑影；
而那個羅聖堡寺，
模糊得像浮在地上的一個泡沫。

於是忽然發生了一種醒的生活的丁璫的聲浪，
街市靜寂的空氣，
受了鄉下農車的激蕩；

一雙小鳥飛到日光照耀的屋頂上歌唱。
但是有一個婦人
獨自徘徊在煤氣燈的搖光之下。
日光吻伊的青灰色的頭髮，
伊的唇像火燄，心像鐵石一樣。

黃色中的諧音

一輛四輪的馬車經過橋上，
蠕蠕而進像一隻黃色的蝴蝶，
這裏和那裏常有一個過客，
樣子像一隻小的飛動的蚊虫。

— 58 —

大船載滿了黃色的乾草
向有遮蔭的船塢移動，
像一塊黃色的絲巾：
濃密的迷霧沿那碼頭層積着。

黃色的樹葉起始枯萎了，
從寺中的榆樹上紛紛墮下。
在我底足下，那灰綠色的泰晤士

趟着像一枝波動的碧玉的竿子。

晨光

天空裝點着遊離的紅光，
周圍的迷霧和黑影消滅了，
曙光從海邊升起，
彷彿一個白衣女子從床上爬起。

參差的黃銅的箭
斜射着夜的羽翼，
一道黃光的長浪
靜靜地波動在塔和屋上，

而且廣佈林間
驚起了幾隻鼓翼的鳥兒，

所有栗樹的頂都受了擾動，
所有的樹枝都衣被了黃金的條紋。
你是瞭解的。

— 62 —

英國 Lanaor 詩三首

爲什麽

爲什麽凝神捕捉心時，
我們的愉快便失去了？
我不知道。自然說聲順從，
人就順從了。

我看見，而不知道爲什麽，
荆棘滋生玫瑰花便死了。

七十五歲的生日

我不同誰爭辯，因爲沒有人値得我的爭辯。
自然是我所愛的，次於自然的是藝術；
我煖和這雙手在生命之火的面前，

火熄滅了，我便預備分離了。

死

死站在我的面前輕輕地說，
我不知鑽進我的耳朵是什麼；
我所能懂得的他的奇異的語言
是，世間沒有提懼這個字。

郎佛羅詩兩首

箭和歌

我向空中發一枝箭，
彼墜地上，我不知在何處；
因爲彼飛得這般迅速，
眼光不能跟隨牠的飛去。

我向空中唱一曲歌，
彼散布地上，我不知在何處；
因爲誰有這樣尖銳的眼光，
能隨歌聲飛去？

自此以後許多年，在一橡樹中，
我發見這枝箭還未折斷；
那曲歌呢，從頭至尾，

我在一個朋友的心中重復發見。

村莊的鐵匠

在一多蔭的栗樹下，
有家鄉村的鐵舖；
鐵匠是個魁偉的人，
有雙強大的手握；

他的雄壯的臂肉，
像鐵索一樣堅固。

他有長而黑的捲髮，
臉容像橡樹的外皮；
額上爲誠實的汗珠所濕；
他賺進他所能賺的；
對全世界沒有愧色。

因爲他不負欠誰的。

一週復一週，自朝至暮，
你能聽聞他抽風箱的聲音，
你能聽聞他揮他的重鎚，
鎚擊均勻而遲緩，
如一教士擊撞村鐘，
當夕陽西沉的時候。

—— 70 ——

兒童從學校回來，
向開着的門中望進；
他們愛看熾紅的鐵爐，
傾聽風箱的抽氣，
並且捉捕閃鑠的火星，
牠好像風箱口飛散的糖屑。

他星期日上教堂去，
坐在他孩兒們的中央；
他聽牧師禱告和宣講，
他聽聞女兒的聲音，
和着村人齊聲歌唱，
使他的心很歡暢。

這種聲音他聽着彷彿女兒的母親

在極樂園中歌唱的聲響！
他因此又想起她來，
不知她睡在墳墓中怎樣；
他用粗硬的手
揮他眼中流出的淚珠。
勞苦，歡樂，憂慮，
他這樣的過他的一生；

每朝看見工作的起頭，
每晚看見他的終結；
有些事試作，有些事作了，
得到一夜的安息。

謝謝你，我的益友，
爲了你所教的功課！
在熾鐵爐上，

— 74 —

造成我們的幸福；
在堅固的鐵砧上
製出燦爛的事實和理想。

德國 Lenans Werke 三首

春

樹枝發芽了，
小鳥歌唱了，
草地也顯露出

— 76 —

他的最初的嫩綠來了。

彷彿是我們的苦痛呵，
當我們踐踏着大地，
弄髒了他的新衣。

他並不注意
那花瓣的墜落

和春日的歌曲，
是使我憂愁的呵。

問

哦，人們的心呵，什麼是你們的幸福？
這是一個天然之謎呵！
得着，失却，

一轉瞬間都消滅無存了！

花園裏的病人

太遲了罷？鶯兒！
花已吹掉了，
夏天的田地已成熟了，
還用着這春聲嗎？

哦，春呵！
何時才洩漏你的春光，
如我當年死了？
或許你也遠行了，
怎樣會遇見我呢？

園丁集第二十

一天一天，伊來了又去，
去，把我髮上的花給伊，吾友，
倘使伊問你這是誰送的，
我請你不要告訴他我的名字，
因爲他不過來了又去。

他坐在樹下的塵土上，

在那裏把花兒葉兒鋪了一個坐位，吾友，
他的眼睛含着悲哀，直刺到我的心裏，
他不說出有什麼心事，
他不過來了又去。

園丁集第三十四

不要去，吾愛，不要離我而去。

我守了一夜，現在眼重要睡了。
我怕在熟睡時不見了你。
不要去，吾愛，不要離我而去。

我站起來張開我的雙手迎你，
我問我自己：『這是一夢嗎？』
我只能用我的心縛住你的足，並且緊貼住我的胸。
不要去，吾愛，不要離我而去。

歌

英國 Rossetti 著

我死了，我最親愛的，
勿爲我唱悲哀的歌；
你不要種玫瑰花在我頭上，
也不要種多蔭的柏樹；

— 84 —

讓綠草滋生在我墳上，
帶着雨珠和露水的濕氣，
倘使你願意的，記着，
倘使你願意的，忘却。

我不願看見樹蔭，
我不願感覺下雨，
我不願聽夜鷹的歌聲，

彷彿訴他的苦痛；
在若明若滅的微光中
我漸入夢鄉。
快樂我許記着，
快樂我許忘却。

杜鵑

Michael Bruca 著

喂，綠林的嬌客！
你是春之前驅呵！
天公已修補好你的居室，
樹林歡迎你去歌唱呵。

雛菊花裝點青草地的時候，
我們一定能聽到你的聲音；
你有一星指導你的來路，
或者標識年的一週嗎？

歡樂的佳賓！
我同著你祝賀羣花的開放，

並且靜聽音樂般的歌聲，
發自亭園中的羣鳥。

小學生遊行林中
採集美麗的蓮馨花，
聽聞你的聲音而驚異，
模效你的歌唱。

豆花開放的時候，
汝翺翔於充滿歌聲的山谷，
一週年的貴客呵，飛往他處，
另有春天可以歡祝。

美麗之鳥呵！你的亭園永遠是綠的，
你的天空永遠是清明的；
在你的歌裏沒有憂慮，

在你的年裏沒有冬季。

噢！我如能飛，我將同你飛翔；
你們生就歡樂的翅兒，
週年傲遊全世界，
作春天的伴侶。

兒歌

英國 Lord Alfred Tennyson 著

日出時，在伊的巢中，
小鳥啁些什麼？
『讓我飛吧，』小鳥說，
『母親，讓我飛去吧。』
『孩呵，再養息久些，

等小翅兒長強壯些。」
因此伊再養息了些時，
伊便飛去了。

日出時，在伊的搖牀上，
孩子說些什麼？
孩子像小鳥般說：
「讓我起來飛去吧。」

「孩子，再睡久些，
等小足長強壯些。」
假使伊再睡了些時，
孩子也將飛去了。

勃萊克兒歌二首

兒歌詩序

吹笛下荒谷，
　吹出和悅的歌曲，
我見一童在雲端裏，
　他含笑地對我說：

「請奏一隻小羊曲！」

我奏着充滿了愉悅。

「演奏者請再演一回；」

我奏了，他含淚地聽着。

「垂下你的笛子｜快樂的笛子；

唱你的愉悅的歌曲：

我洒復唱一回那个曲子，
他含淚的微笑地聽着。

『演奏者，你坐下，在一本書裏
寫下人人所能詠誦的。』
他在我的眼前請見了，
我洒折取一枝中空的蘆葦，

我製成一枝組筆，
潤了清淨的水，
我寫下我的快樂的歌曲，
個個小孩能歡欣地聽的。

說呵，爸，對你的小孩子說呵，
否則我將迷路了。
夜是墨黑了，沒有爸在那裏；
童子被露水浸濕了；

泥濘陷足，小孩哭了，
迷霧消散了。

童子歸家

小孩迷失在寂寞的沼澤裏，
游離的光照着，
他起始呼號了；但是上帝永遠近着

現身出來像他的父親穿着白衣。

他親這孩子，用手攙了，
帶他到母親那裏，
伊生活在山谷中，臉帶憂鬱的白色。
伊的小孩哭得很苦楚地。

—— 100 ——

野花

田間野花，
欣欣向榮地開着，
移栽盆中，
忽然枯顇了！

種子

剩下的一粒種子，
被風吹到石縫裏去了。
幾經雨露的灌溉
透出芽來了！

人在世上

人在世上，
好像是很空虛的：
但雨雪之朝將感着寒冷罷，
風月之夕將感着愉快罷。

海棠

牆角的海棠，
伸出頭來，
順受日光。
但日光偏不照伊阿！

偷瓜畜

田間的瓜果，
都是農夫的汗血：

却叫偸瓜畜
每夜享受了呵！

假若

假若我是一枝花，
我要開的嬌艶美麗，
飲那燦爛的陽光，清風和雨露：
假若我是一枝花，我就要這樣，

假若我是一隻小鳥，
我要唱得嘹亮好聽，
我要造我的巢在搖拽擺蕩的榆樹上；
假若我是一隻小鳥，我就要這樣。

假若我是一條小河，
我要跳動閃爍在碧綠的田旁，

和白雪似的小羊作伴；
假若我是一條小河，我就要這樣。

假若我是一顆小星，
我要照耀出燦爛的光明，
引導海面上波人的水手和林間迷路的旅客；
假若我是一顆小星，我就要這樣。

一一九二二，一，十五一

敲冰

『冰是最壞的東西，』弟弟說；
『你看他把我的小花瓶也弄碎了。
花園裏的小池塘，冰厚得像石塊一樣，
不能行駛我的小艇了！』

「沸水竹竿石塊都拿來了，
把我的小池塘的堅冰
漸漸地溶化了，敲碎了。
我的小艇呵，你從此可以前進無阻了！」

——一九二二，一，十七——

魚兒

魚兒呵，
你爲何掉尾而去？
是因爲前面的河岸，
擋住你的去路嗎？

哀音

遠處淒楚的哀音，
衝破了沉寂的深夜，
鼓動我的心絃
我迺深深地感動了！

——一九二三，一，二八——

迎春

樹枝兒迎着春風低聲說：
我們從冰天雪窖中奮鬥過來了；
嚴厲的北風，摧盡了我們的生機，
凜冽的霜氣，冰冷了我們的心蒂。
春啊，
我們帶着血和淚迎你，

願你把我們溫在和煦的懷裏。

——一九二三，一，三〇——

春之草

春之草，又青青，
你不是去年被冬風摧殘，冰雪掃盡。

但是我早知道你醞着『不死的精神』，
總有一天勃發的機會。
春之草，又青青，
果然表現了你的精神。

—一九二三，三，二七—

燭

燭兒，
　不要向我流淚了！
你是我曼曼長夜的惟一伴侶，
　我的心已爲你的心所融化了！

小艇

小艇呵！

你的目的不是在汪洋大海的彼岸嗎？
爲何只是停留在這里？
你的勇氣到哪裏去了？

小雀

小雀兒，你順受我的豢養能！
要知你終逃不出這籠子了。

吱，吱，吱地髣髴答着說：
「你關得服我的心嗎？
捉得盡我的同類嗎？」

玉蘭

玉蘭呵！
別你三五天已長得這樣的苞了，

陽光正照着你，
快放出花來罷！

江水

滔滔的江水，
日夜不息的向下流着
是有什麼待着你嗎？

小鳥語

小鳥自籠出，
棲身樹枝上；
兩翅覺無力，
不覺心悲傷。

——一九二二，四，一

忽見同林鳥，
唧唧聲相嚶；
小友何抑鬱，
曷來共翱翔。

小鳥吱吱語：
往事殊堪傷；

少小被拘囚，
身心受摧戕。

今雖出籠去，
呼吸自由氣：
無奈身無力，
對影空歎息。

何如君等樂，
來去無定縱；
早餐秀山色，
夜宿綠蔭中，

寄語我兄弟，
無爲餌所迷；
東身囚籠中，

幸福長已矣。

小鳥語能時，
四鄰盡寂寂；
惟聞流水聲，
如助伊歎息。

—一九二二，六，五—

寄星姊

昔年別離時，
你諄諄地向我說，
不要忘你。
你底：
含笑的臉，
爛熳的心，

已深深地印在我的心裏。

任是：
離別千年，
相隔萬里，
我也不能忘記了你！

偶感

——一九二二，七，三——

夜將黑暗罨布人間了。
層層的烏雲壓得人氣也透不轉了。
誰是破曉的雄雞，
喚醒酣睡中的人們？
誰是澄雲的清風，
吹散層積着的烏雲？

——一九二二，七，八——

夏去秋來

鳳仙花開了，梧桐葉轉爲黃色了，
甜蜜的山藷也次第成熟了。
日中的寒蟬，晚間的蟋蟀，
都報道秋將來了。
垂熟的稻苗，白棉的花葉，

時在空中呼嘯；
點點滴滴的小雨，不住的往下飄；
這個彷彿是自然向垂去之夏說：
「別了！別了！」

——一九二二，七，十——

撒下的種子

撤下的種子，
還渺無消息；
亂草野花
已在其中滋生了。
輕輕地
將野花摘去，
亂草拔出，

汲取泉水，
一瓢一瓢地灌溉。
過了幾天，
透出一瓣兩瓣的嫩芽來了；
又過幾天；
已滿園青青了。

幾個童兒經過看見了，
鼓着手掌兒歡呼：
南風吹來時，
將開了黃花，
結着甜瓜了！

—一九二二，二，十—

他的信

小詩

他的信來了，
反引起我心中的沉鬱，
搜遍 裏行間，
何以竟得不到些須濃郁的情意？

才透芽的嫩葉兒，
尖端已現了焦枯，
我迺深深的失望了。

促織

促織姊姊呀！
你怎樣到這時才來呢？

這一年來你到那裏去了，
我何等的念你！

今早我的弟弟說：
「促織姊姊該來了。
昨晚絡紗婆婆紡了一夜紗，促織姊姊該來幫她織布了。」

於今你竟來了，
使我異常的歡喜！

—— 134 ——

在萬物安息的時候，
你獨不息的工作；
你的勤勞的精神，
我何等的佩服！

但是你這樣的勤苦，
只受用了別人；
你的年華，

卻從這促織的聲中老了•
我眞代你不平！

——一九二二，七，十——

失望的心

綠衣人持着淡紅色的信封
走入伊的視線時，
伊感到何等的愉快呵！
但他又回頭走向別處，
伊失望的心

怎麼安慰呢！

夢

幽靜的睡夢裏，
陶醉了我的心靈。
朋友告訴我，
除了夢境外，

那裏去找安慰？

人生

我問母親說：
『人生若是應當快樂的，
何以從胎胞裡帶出來的
第一聲就是哭呢？』

小詩

一

深黑的天幕裡，
懸着數點明星。
星呵！
多感謝你，
安慰到這些夜行的征人！

二

命運睜着他很自私的雙眸；
但，痛苦者底愁容，
他何嘗看見。

三

夢之國，
何等清幽快樂呵！
夢神，

願你收留我
　永遠做你的順民。

四

愛神撫着青年的男女們道：
『只要你們眞能相愛，
縱使謠諑像巨浪般的喧闐，
俗禮像囹圄般的禁圍，
我總會竭力扶持你們，

有什麼害怕呢？——

五

三年前的伊——
怎樣的嬌艷敏活，
今年今日的伊——
這樣的愁鎖雙眉。
伊仍是伊，
時間的經緯線上，

怎的容許命運這樣支配？

六

我願把我
縮到無可再小時。
躲入親愛的伊底心房。
永遠受伊熱血的溫潤。
縱使伊不愛我
我也占得伊心中的一點位置了。

淚

淚，只是向外流着，
有什麼用呢？
還是澆向心田吧！

頃刻間的感想

最靈敏的腦子，
在極短促的時計一擺動間，
把我煩腦的日計簿
一頁一頁地展開了。

回憶

回憶的滋味，
在失意人看來
是不堪細嚼的呵！

乾枯的山桃

書帙裏的山桃花呵！
這是伊摘來贈我的，

我很快愚的領受着；
枯萎了
用淚泉之水灌着吧。

園丁們注意

撒下自由的種子
開着戀愛之花時；

園丁們，你要注意培植呵，
不要受造化的欺哄，
讓他結悲哀之果！

秋夜僅有的安慰

孤燈獨坐；
唧唧的蟲鳴，

瑟瑟的雨聲，
是秋夜僅有的安慰。

小詩

一

自然微笑地向着我們說：
秋來了，

珍重呵！

二

當秋風受了使命降臨時，
小池裏的荷葉都要低頭了。

三

新雨後，
河岸上持竿獨釣，
彩雲朵朵，籠罩着我；

涼風習習，吹拂着我；
野花含笑陪伴我；
河鷗歌唱歡迎我；
我的心於是醉了。

四

上帝駛着命運之船，
引渡衆生；
獨遺留着我——

我是悲哀者啊！

五

相見時的苦笑裏，
已含着別離時的悲哀
朋友，
何必苦苦地謀一面呢？

笑

有人贊美我時，
我報之以一笑；
有人毀謗我時，
我報之以一笑；
有人打罵我時，
我也報之以一笑●
人世間一切是非

—— 154 ——

都可以一笑了之吧。

僵蠶

抽不盡的細絲，
把僵蠶緊緊的縛住了。
抱怨嗎，
還是牠願意的！

春來了

暖和的陽光
輕拂着雙袖，報告
『春來了。』
世界上一切
都現出愉快的面龐——笑了。

滬翔道中

澄清的天空裏，
浮沉着紙鳶，
天鵝絨般的草地上，
徜徉着村童，
幾雙游鴨正在戲水，

從車窗裏凝望的我
低聲地默祝司機者道；
「莫驚破這幅自然的畫！」

新春

新春裏，
河畔的小草昂着首

向他鄰姊楊柳道；

「北風倦了，

冰雪化了，

他們都收着殘兵連䙨而去了。

柔和的日光——

潤澤的露珠：正照臨着。

我和你，

快到自然界去佔領位置吧！」

日記

失意人呵，
點滴的淚債
何必苦苦地刻上這微小的手册呢？
閉着雙眸，
吞向你心田裏去吧。

— 60 —

要知日記惟得意者能自由傾寫呵！

春意

我小立窗前
　習習的春風裏，送來
鮮艷的花香，
醉人的鳥語。

我的心呵，
沒有你絲絲的新柳來牽引，
也早給這片春意帶去了。

神往

溫柔的春風吹到人間。
楊柳絲絲地飄展着

桃花偷偷地開放着
幾雙飛燕自遠處的青山
繞着碧油油的河波——亂嚷
孤寂寂的我，不禁神往了！

綠波

經不起風力的流水

盡泛着綠色之波，
我把我的心輕輕地
交給全力注視的波紋。
一瞥間那波紋又不見了，
哦，我的心啊！

假若

假若這一角巍樓
移上泰山之頂，
我將何等快樂，
那時我當揭開雲霧之幕，
窺望我數年不見的伊呵！

假若月兒是條船，
我是個船夫。

我何等快樂。
任是相隔萬萬里，
我的母親呵！
我總許能
一夜一度的
借着月兒的光芒
傳達我的消息呵！

我怕

我怕太陽下去
黑夜到來，
我更怕惱人的風雨
把我的心門打開
一絲絲的煩悶牽引出來！

我願

我願做個舟子，
當月白風清之夕，
駕着一叶扁舟，
飄揚在茫無邊際的大海裏；
縱使經些巨浪狂瀾，
我也曉得世界的偉大了。

失眠之夜

我的心呵，
夜深了，
快安息罷；
壁上的時鐘

點點的響個不住；
窗外的春雨，
淅淅的落個不住。
鐘呵，
雨呵，
我已經破碎了的心
怎還受得住你如許敲打呵！

神秘

不見伊時
　苦苦地相見伊，
　似有無限的心中話告伊；
見了伊時
又痴痴地凝視伊，

尋遍心頭腦底，
沒有一句可以表我些微情意。

可憐兒

一

日兒正在富士山後沉下，黃金色的波浪湧上赫霞麥的沙灘。

我是正從曲野山角散步回來。

正低頭漫步，忽聞隄上足音。又見兩個影子橫在我的路上。

抬起頭來，看見二人正在走來。

年老的是一個四十左右的婦人，像是乳娘。小的是一個六七歲模樣的很秀麗的小姑娘。伊的髮兒覆在白潤的額上，身上披着一件紫色的外套，足下拖着一雙皮底鞋，繫了深紅的皮帶。

乳娘和小姑娘都不聲響。在小姑娘的美麗的臉上露出這樣年輕的人所少見的憂鬱。伊是誰的孩子呢？我便問一個漁翁的妻子——伊正沿着海岸走來；伊低聲回答：『那？那是霞仙姑娘，子爵赤田的女公子。』赤田！他的夫人因爲家庭之間發生風波而自殺了，伊就是他的女兒嗎？

我回轉頭去看：二人在石後隱去了，只看見紫色衣袖的動搖。

我又低下頭去，地上留下小拖鞋的痕跡。

夕陽的光照在海邊，山上，夜色漸漸的彌滿了。當我守着微波滾近我的足邊在岸上散開時，已看不見一個人了。

有一隻小艇在遠處駛過，舟子唱著清朗的漁歌；我含着眼淚的心得了些安慰。

二

可憐無母的孩子！伊的母親是很美麗的，伊做了赤田子爵的妻子。

誰能想到伊所坐的瑤輿，不久便成為伊的磨難的牀褥呢？

伊的丈夫是個游蕩的貴人，以鬥紙牌射箭為主要的娛樂。他曾休過三個妻子，還納了許多小星，並且和村中的女郎常有穢瑣的行為；在他的別墅中早夜縱惡，惹起全家的憎恨。

這位小姑娘霞仙是美麗的子爵夫人的女兒。

當子爵的行為愈變愈壞，夫人的憂鬱也一天比一天的深。他縱欲無厭，納了一個妾再納一個，劫奪伊的丈夫對伊的愛情。
他前妻的女兒又懷恨這個不幸的子爵夫人；找尋愛情，伊無處
可找，渴望自由，伊又不能獲得；請求離婚，又不見聽從：伊
被猜疑，誹謗，虐待，緊囚，到後來伊在世界上失去了一切希
望，伊便決意自殺了。有人看見伊躺在靠近赫霞麥別墅的棧房
的地板上。可憐的孩子和可憐的母親呵！

三

這樣的默想而且慢慢地走，我來到森斤的橋上。

那秀華山上聳起的黃色繪畫的房子；毫無疑義，是子爵的別墅了。左邊的房間就是子爵夫人自殺的地方。這間房子的玻璃窗，映着夕陽，閃鑠如黃金。我靠近橋欄杆看着一只烏鴉從一邊松樹中飛出，經過別墅的屋頂，『呀，呀』的叫着飛到山後去了。日兒已經沉下，縞白的微光宛如夢中的境界。在這遮遍地球的夕影中，我獨自靜默地站着。

海運橋

有一天，我將跨上第一銀行左近的海運橋時；我瞧見一羣人
聚集在橋上。
一個巡警正在盤問一個衣衫襤褸的婦人，約有四十五歲，伊
是頭髮蓬鬆，垂頭喪氣地站在那裏。
伊的木屐只賸一隻了；背上負了一個兩歲的女孩，手裏挽了

一個五歲的男孩。

突地裏，這個婦人放聲哭泣了。伊不能揮拭眼淚，因爲兩手都帶着孩子。

在伊背上的孩子正在熟睡，伊所攙着的那一個，望着伊的臉上，現出疑問的神氣。伊還帶着別的兩個孩子，一個十歲，一個七歲，他們漠不關心地向河的方面看去。

我的心不覺動了憐憫。我便走近些，聽巡警的盤問，知道伊的丈夫不能付房租，逃走了，伊就在這天被房主逐出賃屋，現在棲身無所，不曉得如何是好。

三三兩兩的過路人停下來聽，但是他們立刻就走開了。

一個紳士坐在金紋的車中，經過那裏，向這婦人看了一眼，也毫不動心地走進銀行的門內去了。

我摸索我的袋子，但是一個錢也沒有。一轉眼間，我望見在河之旁，高聳入雲，國旗飄揚有如城堡的，便是第一銀行的所在地！

唉！在那裏有千百萬的金錢鎖藏着呵！

（以上選學寫生帖）

伊豆的山火

一天晚上，我看見有幾點火花在半空飛揚，星沒有這樣光亮，漁舟的燈火沒有這樣高，他們是什麼呢？他們是伊豆底山火呵。

日中他們像香木的煙，在對岸繚繞上升，但到晚上，他們就異常明亮。山火呵，你是被陸地上的居民點着的嗎？你不是傳拋消息給對岸的人們的烽火嗎？

「一月二十號」

花月之夜

一

我推開書房門。溶圓的月正棲在園中櫻花樹的肩上，蔚藍的天空，因佈滿白光，變得很淺淡了。一朵朵的雲各處浮着，近月處閃鑠着銀樣的光亮，輕輭如羊毛。模糊的星辜點綴着穹蒼——黯淡的月光照在櫻花樹上，枝上綴着濃密的花，爲月光所不及處，看似黑的：疏落落的花枝上照着月亮，看似雪白的。
亮的遮蔭和黯淡的光瀉在落花滿地的園中，把他變成仙國了。
遠遠的靠近海岸只見一片白茫茫的砂洲：遠處有人正在歌唱。

二

忽然洒下幾滴微雨，不久就止了。雨雲遮住了月亮，因此空
中只有微弱的光，櫻花樹差不多在黑暗中隱沒了。有幾處蛙兒
正在咯咯地唱着。

四月十號

冬至

今天是冬至節了！
我漫步田間，踐踏在凝霜的草上，彌望寒景蕭條。風中乾葦的沙沙聲，枯柳間鵪鶉的鳴聲，溪水徐流的淅瀝聲，都報道歲將盡了！

—十二月二十二號—

除夕

天雖不雨，氣候未見晴明。歲暮何其鬱陶！但因歡迎新年，蓬戶陋室之前，飾以採自隣山的松枝，前川泊舟，也用松枝和『注連繩』（即稻草束，橫掛門上爲飾，用於新年。）點綴着。

全世界都現着昇平的氣象；我家也是平安。門無賓客，債主足以滋擾我家的安靜，也無餘錢揮霍，破棄我的簡單生活。

我用最寧靜最平常的精神送別這垂去之年。

——十二月三十一號——

——以上選錄湘南雜筆——

大河

孔子站在河岸上說：
「逝者如斯夫，
不捨晝夜。」
一個人對於河流底感想，用這兩行是表現得很好的，詩人的
千言不如聖人這句口頭語。

海固浩瀚——當彼平靜的時候，好比慈母底胸懷，一度狂號，使我們想見神底震怒。但是大河底精神和意義——日夜流動——有與海逈然不同的地方。設若你站在大河之旁凝視着平靜的溪水，永遠地向下流：

「逝者如斯夫。」

確鑿你會想到時間在常住的空間永遠過去，從萬千年之前流到萬千年以後，看呵！一條帆船現出了，正在我面前駛過；正在駛過，立刻就不見了，所謂羅馬的大帝國不就是這樣過去了嗎？看呵！一片竹葉流來了，只一刹那間就不知那裏去了。亞力山大和拿破崙正如這片葉，而今安在呢？河水只是如此靜靜地流着。

我們從河比從海更能懂得永存的意義。

梅花

在古寺的庭中有兩棵三株梅花是很好看的，倘月光照着，那更好了。有一年二月裏我從小田原到大和去旅行，過訪松寺。太陽正在箱根底山後沉下，烏鴉靜寂地飛過天空，山峯已被黑暗的夜色罩住了。寺中寂然無人，只有幾株梅樹開着雪白的花站立在黃昏裡。

徘徊幾許時，仰望天空，我見一輪淡若秋水的夕月正從古鐘樓頭捧出。

朝霜

我愛霜是因爲他的純潔，因爲他是氣候佳美的先聲。朝日照在白霜上，是一幅很美麗的景色。

在十二月的下半月，有一天早上，我走過烏芬哪和托修卡。這天的重霜，是難得看見的；田畝中彷彿蓋了一層雪，長青樹和竹林也都白了。

東邊天上，轉成了黃金色，燦爛的朝日在天際現出。

萬道金光照在屋上和田間。在日光中像水晶般光耀的霜，在
遮蔭中現出深紫的顏色。
房屋，叢薄，草堆和田中的稻根都染了白色或紫色；那霜在
遮蔭中依然微弱地發光。
全地球都變了玫瑰色和水晶體了。有一農夫在霜田中焚稻草，
藍煙迷霧一般升起；當他散開時，障住了日光。煙雲愈變愈濃，
從藍色變成了灰色。
全景都使我愉快，我覺得我更愛冬霜了！

— 196 —

良夜

今夜是舊歷七月十五的夜，是月明而風淸的一夜。

我放下事務，步入塲中，走到栗葉叢密的蔭下。陣陣微風吹起了池中的波紋，秋虫唧唧地歌唱；晚間的露珠染銀了一切的花草。

我漫步前進，後來發見自己已在田間了，月亮在叢竹密菁的背面升起，天地之間都布滿了伊的光華。羣星只暗剌剌地照着。

遠處的森林糢糊得像一籠煙了，我站定凝視；幼榖和桑樹包裹在月光之中像綠玉一般的明亮；那棕樹們正在向月亮兒訴說他們的隱衷。

走入虫聲喞喞的草間，我看見月光在被我的足步所破裂的露滴中閃鑠着，林中羣鳥互相唱和，彷彿在皎潔的月光中不能成眠的樣子。樹木之下，那月光有些像藍的雨滴。燈光從一間屋子裏穿過樹林射來，談話的聲浪震動了冷夜的空氣。我經過閣門，坐在廊下。這時已過十時了，街上的聲音也靜了；月下的花園美麗得像在夢中一樣。

月亮照在樹上，他們的影子倒在地上。

光和影兒參雜地布滿園中。芭蕉的光潤的扇形的葉子的寬闊影子遮在廊上，和棕樹的影子相參雜，微風在樹間遊耍，月光和影兒一同舞着。

一尾魚在涼池的水草中懶洋洋地遊泳，一定覺着他全身裹在輕輭的境地中像我一樣了。

風

雨嬰豬我們，醫治我們的心，而且使我們的精神安靜。所使我們發生悲哀的，不是雨而是風。他忽然從某處吹來，忽然向某處吹去。我們不知他的起點，也不知他的終點。當他在我的面前靜靜地拂過去。我覺得我的心好像裂開的一樣了。

風是生命過去的聲音。有誰知道他來自何方，去向何處的，聽聞了這樣聲音，將覺着悲哀了。有首古詩說得好；「在春或

—— 100 ——

在秋，風旱或寒夕，悲哀常伴風來的！

檐溜

雨過了。地上散布了櫻花的瓣子，積得這樣厚，幾乎使人家疑心下過雪了。有幾片花瓣浮在檐溜的上面。不要說這檐溜是太狹淺了。你不見他擁抱着碧空在他的懷中嗎？不要說這檐溜是太小了。藍蔚的天空在他上面反射出來，落花自在地浮在他的上面。櫻桃樹的枒枝向下凝視着，水底沙土的顏色是能看見的。有兩隻白鷄搖着他們的紅冠走來，當他們蹲下含水在口中，昂起頭來飲下時，他們的影子也印在水中了。

這檐溜雖則這樣小，但他卻是愉快地平安地接受一切東西。

爲什麼人類的兒童所生活的世界，獨是這樣的狹小呢？

——以上選譯「對自然之五分鐘」——

藝術家

有一晚上，他底心中忽然湧出了一個願望，想鑄造一個『暫駐的快樂』底神像。他走進世界去挑選黃銅。因爲彼只能用黃銅鑄造。

但是全世界所有的黃銅早就消滅了；在全球上沒有一處能找到一些黃銅，除了『永存的憂患』底銅像之外。

這個銅像是他自己所有，而且是他親手鑄造的：放在他生平曾經愛過的一件東西的墳上。

他在生平最愛的死者的墳上放上這個親自鑄造的神像，可以作爲一個未亡人底愛的標識，也可以作爲永久忍受憂患的人底星號。在全世界中除了這個像的黃銅之外，再沒有別的黃銅了。

他取了這個親手鑄造的神像放在一個火爐裡用火鍛鍊。

他就用這『永存的憂患』底神像的黃銅鑄成了一個『暫駐的快樂』底神像！

水仙花與池沼

當水仙死了之後，他底快樂的池沼中從一杯甜水變成一杯苦淚了。山神們從林間走來，哭着說，他們願向池沼唱歌而且給他平安。

當他們瞧池沼中從一杯甜水變成了苦淚時，他們解鬆了綠的卷髮，向池沼哭而且說；『你爲了水仙花而悲痛得這般模樣；我們並不詫異，他是這樣的美麗呀！』

「水仙花眞美麗嗎？」池沼問道。

「誰能比你知道得更清楚呢？」山神們答道。「我們不過當他偶然經過時瞧見一回兩回罷了；而你是他所尋求的，他躺在你的堤上向下看你，而在你的水鏡中，他能照見他自己的美麗。」

池沼答着道：「可是我的愛水仙花，是因爲當他躺在我的堤上向下望時，在他的眼鏡中，我能瞧見我自己的美麗印在裏面啊！」

一封寄給伊的信

可愛的小孩！我從無意中看見你寄給他的兩封信，這是信麼？或者是神話？是充滿了文學意味的詩？是活潑潑地眞摯地表現着你個性的呼聲。——

你喜歡小孩麼？小孩本是可愛的，維小孩有活潑的天趣，有眞率的性情。你自己呢？想做天使，想做人們的引路，痛快的說你要說的話，何等的活潑？何等的率直呀？你不是可愛的小孩麼？

你喜歡鋼琴麼？彈出和諧的聲音，何等悅耳呀！

你喜歡玫瑰與紫羅蘭花麼？散出芬芳的香味，何等悅鼻呀！

你喜歡畫片麼？表現美麗的色采，何等的悅目呀！

你喜歡做天使麼？撲着兩隻翅膀，飄飄的飛上天去，何等逍遙呀！

你這樣高尚而又優美的精神上的快樂，眞是快樂極了。天國麼？極樂世界麼？烏託邦麼？這是何等的幸福事呀！

不過……

娛樂是人生工作後的慰藉，不是人生的目的。你不要忘記了人們的責任呀！

你彈鋼琴，不要忘記了製造鋼琴的人們。

你聞玫瑰花，不要忘記了種花的人們。

你喜歡畫片，不要忘記了畫工與刷印的人們。

什麽是天使？是背生雙翼，衣服美麗潔白的她麽？

否！是短褐赤足，手拿槌錘．工作不息的人們。

琴聲錚鏦。多好聽呀！可是內含着人們的喘聲。

花香滿郁，多好聞呀！可是內含着人們的汗腥。

滿片美麗，多好看呀！可是內含着人們的苦影。

你要看人生的兩面呀。快樂還有責任。

男性是毒蛇麼？這是你的偏見。與吾們傳下來的俗話——毒蛇口中齒，黃蜂尾上針，兩般多不毒，最毒婦人心。——把女性看作毒蛇一樣的偏見。

人們都是可愛的吓，愛都是甜蜜的吓。

戀愛呢？那是一面甜一面苦的，分什麼同性與異性。

你有兩個很要好的同性朋友麼？這是愛，不是戀愛。戀愛是專一的，不是普遍的，那能有兩個呢？

你很聰明，很有思想，或者是天才罷？願你努力的向上。

TY

伊的夢

一個十五歲的可憐的伊哭泣了。
「唉！世界怎麼這樣的沉悶呀！
美麗的畫片，是我所愛玩的，但是他飽含着人們的苦影，我
何忍再玩呢？
滑婉的鋼琴，是我所愛彈的，但是他飽含着人們的喘聲，我

何忍再彈呢？

芬芳的紫羅蘭，是我所愛聞的，但是他飽含着人們的汗腥，

我何忍再聞呢？

快樂和安慰都失却了，這種枯寂的世界，我如何再能生存？

去罷！去做眞的天使罷：但是天使又在那裏呢？」

伊帶哭的這樣說。但是沒有人囘答伊：

「該咀咒的女孩呵，你太貪逸了。沒有做過勞苦的工作，先

要享安慰的幸福，上帝是不會容許的。因爲這是罪過呀：哭是

無用的，快站起來向那邊去，給人們造一條幸福的橋吧。那邊有高的山闊的海阻隔着，你努力將他除去。路的盡處便是仙境，你愛的都在那兒。努力向那邊去能！」

一個眞實的指導者撫了伊的頭髮這樣說。

伊明白了：立起來，露着微妙的笑容，向那邊去了。

高高的山阻着伊的去路，伊毅然將他鑿通了走過去。

茫茫的大海又阻着伊了，伊又造了堅固的橋兒渡過去了。

伊覺得有異樣的光彩照在伊的身上：有異樣的香味撲在伊的

身上。伊很快的知道仙境到了。

紫羅蘭的地毯，鋼琴的圍牆，瓷片的屋，伊永久住着。伊已經是做了仙國之后哩。

自從伊貫通了到仙國的路，那一切勞苦的人們都能夠到伊那邊去聽清婉的琴聲，異香的紫羅蘭，和美麗的瓷片，得着他們最後的安慰。

J T

一九二七年七月三版

每册實價五角

著者　CF女士

發行者　北新書局
上海四馬路
北京東皇城根

花木蘭文化出版社聲明啓事

此次《民國文學珍稀文獻集成》出版，有賴各位作者家屬大力支持，慨然允贈版權，遂使這巨大的文化工程得以開展。我社全體同仁在此向各位致以誠摯的謝意！

由於民國作者人數眾多，年代久遠且戰火頻繁，許多作者已無從知其下落。我社傾全力尋找，遍訪各地，能夠找到的後人，得其親筆授權者，爲數甚寡。更多的情況是，因作者本人下落不明，連版權情況都無從知曉。

因此，我社鄭重聲明：

此叢書所錄專著，凡有在版權期內而未授權者，作者家屬可與我社聯繫，我社願奉送相關贈書50冊爲報酬，補簽授權協議。

叢書第一輯，版權不明作者名單如下：

李寶樑、朱采眞、黃俊、汪劍餘、CF女士（張近芬）、王秋心、王環心、謝采江、曼尼、歐陽蘭、陳�、沙利、卜弋雲、陳志莘。

望以上作者之家屬看到此通知後與我社聯繫。

聯繫信箱：hml@vip.163.com

花木蘭文化出版社

2016年春